enlli

tu hwnt i'r swnt

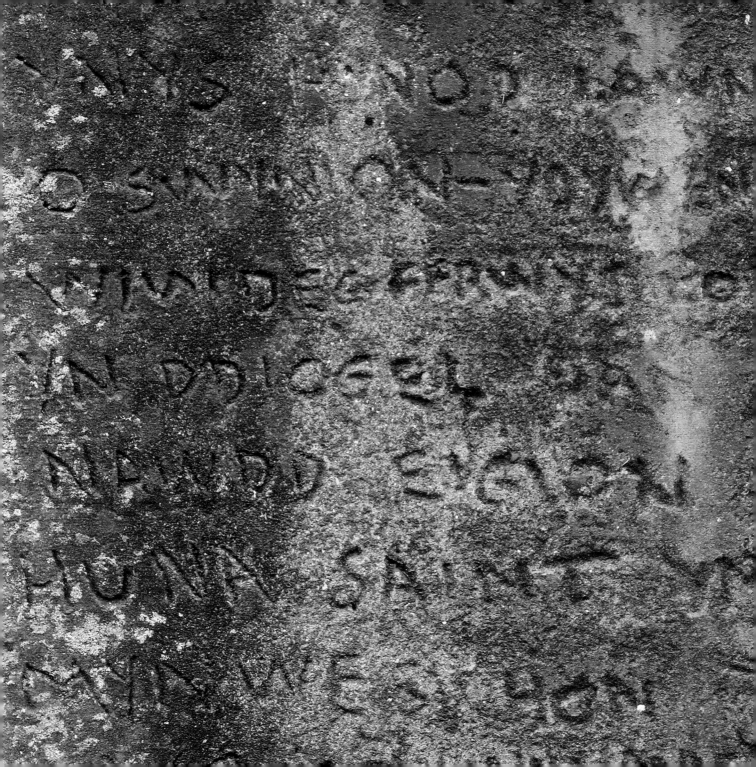

enlli

tu hwnt i'r swnt

Marian Delyth

Argraffiad cyntaf: 2015

(h) testun a lluniau (oni nodir yn wahanol): Marian Delyth 2015

Cyhoeddir gan Wasg Carreg Gwalch

Rhif rhyngwladol: 978-1-84527-486-3

Mae'r cyhoeddwr yn cydnabod cefnogaeth ariannol Cyngor Llyfrau Cymru

Lluniau a dylunio: Marian Delyth

Goleu Enlli, J. Glyn Davies, o *Cerddi Portinllaen*, 1936
Gwnaed pob ymdrech i sicrhau pob hawlfraint.

Cyhoeddwyd gan Wasg Carreg Gwalch,
12 Iard yr Orsaf, Llanrwst, Conwy, LL26 0EH.
Ffôn: 01492 642031
e-bost: llyfrau@carreg-gwalch.com
lle ar y we: www.carreg-gwalch.com

Derbyniwyd lluniau drwy brosiect digiDo
Atgynhyrchwyd drwy garedigrwydd
Llyfrgell Genedlaethol Cymru

Diolchiadau

Rwy'n ddiolchgar i'r bobl a fu'n gymorth i mi yn y broses o greu'r gyfrol hon:

Yn gyntaf ac yn bwysicaf oll i drigolion yr ynys am eu croeso ac yn arbennig i Christine ac Ernest yn Dyno Goch am eu lletygarwch a'u cwmnïaeth ddifyr. Diolch hefyd i Colin am fynd a mi 'nôl a blaen yn gyson yn y *Benlli*, ac i'w gymar Mair, a Gwen, Non a Wil am fy nghadw'n hapus ar y tir mawr yn Uwchmynydd. Diolch i deulu'r Cwrt am sawl cymwynas.

Diolch i'r criw o ffrindiau am y cwmni difyr a'r prydau maethlon ar hyd y blynyddoedd yn ystod ein gwyliau ar yr ynys, ac i Catrin am roi cymorth i mi gyda'r gwaith dethol.

Diolch i Eleri, Nia a Myrddin a'r wasg am eu gwaith, ac am lywio'r cyfan i'r fan hon. Diolch i Gyngor Llyfrau Cymru am nawdd i greu'r gyfrol.

Diolch i Ymddiriedolaeth Ynys Enlli am roi caniatâd i mi dynnu lluniau ar yr ynys ar hyd y blynyddoedd ac i'r wylfa adar am fy nghroesawu yno i gofnodi eu gwaith.

Cynnwys

Hud	7	Pobol Enlli	63
Mynydd Mawr	10	Amaethu	89
Porth Meudwy	16	Pysgota	117
Croesi'r Swnt	20	Byd Natur	125
Y Cafn	28	Crwydro'r Glannau	136
Dan fy Nhraed	32	Golau Enlli	147
Yr Abaty	41	Goleudy	156
Pererindod	50	Broc Môr	163

Hud

Delweddu Cymru drwy gyfrwng y camera sydd wedi fy arwain i ganfod a phrofi'r rhan fwyaf o gilfachau hudolus y wlad fechan hon y cefais y fraint o gael fy ngeni a fy magu ynddi. Y dasg honno oedd y rheswm fy mod, un bore ar ddiwedd y ganrif ddiwethaf, yn cael fy hyrddio'n ddidrugaredd i fyny i'r awyr ac i lawr drachefn ar gwch i Ynys Enlli. Cafodd fy nillad glaw eu herio i'r eithaf gan donnau'r Swnt yn troi'n gawodydd uwch fy mhen ar ôl iddynt daro yn erbyn ochrau'r bad. Taith undydd yn unig oedd honno i dynnu ychydig o luniau oedd eu hangen arnaf i'r gyfrol *Cymru o Hud*. Doedd y tywydd ddim yn garedig iawn ond fe lwyddais mewn cwta bedair awr i gael ychydig o luniau, ond yn bwysicaf oll, roeddwn wedi cyfarfod a syrthio dros fy mhen a 'nghlustie mewn cariad â'r ynys. Un edrychiad yn unig a gymerodd hi iddi feddiannu fy mreuddwydion am sbel hir, nes gwneud i mi addunedu y byddwn yn dychwelyd a threulio mwy o amser yn ei chwmni. Ac felly y bu. Y diwrnod hwnnw oedd cychwyn perthynas sy'n ymestyn pymtheg mlynedd bellach.

Alla i ddim meddwl am ddelwedd fwy addas i ddangos lleoliad yr ynys na map Hugh Hughes, yr arlunydd gwlad o'r ddeunawfed ganrif fu'n byw ac yn gweithio ym Mhen Llŷn. Bu yntau hefyd ar Ynys Enlli yn darlunio'r abaty. Dyluniodd fap gan bortreadu Cymru fel hen wraig, Modryb Gwen, sy'n ymestyn ei braich tua'r gorllewin. Rwy'n gweld Ynys Enlli fel petai'n syrthio o afael ei llaw, neu efallai mai ceisio cydio amdani mae Gwen. Atyniad y ddelwedd i mi yw bod yr arlunydd yn llwyddo i gyflwyno ar y naill law wybodaeth ffeithiol am leoliadau ar ei fap a gyda'r llaw arall yn cynnig delwedd sy'n rhoi cyfle i'r sawl sy'n edrych arni i ddehongli a dychmygu. Mae'n adrodd stori yn ogystal â chofnodi ffeithiau. Fy ngobaith yw y bydd y gyfrol hon o ffotograffiaeth yn cyflawni'r un dasg. Mae print o'r map ar wal fy stiwdio – mae'n f'atgoffa am y teithiau blynyddol y bûm yn eu gwneud gyda chyfeillion i dreulio wythnos o wyliau ar yr ynys bob haf, yn dilyn yr ymweliad cyntaf hwnnw. Byddai ein llwybr yn ymestyn ar hyd amlinell gwisg yr hen wreigan o rif 49 wrth odre ei sgert i rif 1. Daw arwyddocâd y bagad gofalon ar ei chefn yn amlwg wrth ddarllen pwt o fy nyddiadur o 2007: 'A ydw i'n mynd? Sut fedra i fynd gyda'r llwyth gwaith sy'n pwyso arnaf ar hyn o bryd?' Dyma'r gwewyr ro'wn i'n ei deimlo wrth i'r dyddiad a drefnwyd ar gyfer ein hymweliad ag Enlli agosáu. 'Dwi ddim yn meddwl galla i ddod eleni,' oedd fy nghri hunandosturiol wrth drafod y

trefniadau bwyd ar gyfer ein hymweliad gyda fy ffrind Medi ar y ffôn am naw o'r gloch ar y nos Iau. Erbyn hanner nos roeddwn wedi callio a phenderfynu mynd. Mae bywyd yn rhy fyr! Beth bynnag, fe fyddai egwyl ar yr ynys yn falm i'r enaid ac yn talu ar ei ganfed o ran egni wedi mi ddychwelyd. Ond nid ar chware bach y byddwn yn llwyddo i adael am Enlli gyda chydwybod dawel bod rhyw fath o drefn ar amserlen y gwaith, yr ardd yn weddol daclus a'r bwyd a'r dillad, a'r holl anghenion eraill – y pwysicaf oedd fy nghamera, wrth gwrs – y cyfan wedi eu pacio'n ofalus gyda labeli 'Tŷ Capel' (a fyddai'n gartref i ni am wythnos ar yr ynys) ar bob bocs. Lluniais restr fanwl o bopeth oedd angen ei wneud, a'r rhestr siopa. Roedd y cyfan yn dechrau ymdebygu i ryw fath o ymarferiad milwrol gyda'r ddisgyblaeth sy'n nodweddu'r math hwnnw o weithgaredd, nes i mi lwyddo i golli'r darn papur oedd yn cynnwys y rhestr! Ar ôl diawlio dan fy ngwynt fe gysurais fy hun mai artist oeddwn i wedi'r cyfan a doedd dim ots – roedd y cyfan bellach ar fy nghof.

Byddwn wedi llwyddo i lwytho'r campyr erbyn tua dau o'r gloch y bore cyn cychwyn yn blygeiniol i gasglu cyfeillion a'u paciau hwythau ar y ffordd er mwyn dal y cwch o Borth Meudwy tua deg o'r gloch. Afraid dweud bod taith y cerbyd, oedd bellach yn drymlwythog, bob amser yn dipyn o ruthr, ond byddai'r cwmni hwyliog yn fy nghadw'n effro. Wedi degawd a mwy o ruthro, pan benderfynais greu'r gyfrol hon a theithio i'r ynys yn fwy cyson yn unswydd i dynnu lluniau, daeth gyrru ar hyd llawes yr hen Gwen i ben draw Llŷn yn brofiad mwy hamddenol, a thaith yn ôl i'r ynys at gyfeillion annwyl yw hi bellach ar hyd hen lonydd cyfarwydd.

Ychydig flynyddoedd ar ôl cyhoeddi map Hugh Hughes cafwyd chwyldro mewn celfyddyd weledol pan ddarganfuwyd ffotograffiaeth fel cyfrwng i gofnodi'r byd o'n cwmpas.

Roeddwn i eisoes yn gyfarwydd gyda chofnod pwysig y ffotograffydd cynnar John Thomas (1838-1905) o'i wlad enedigol ac fe deithiodd yntau i Ynys Enlli i dynnu lluniau tua 1885. Rwy'n edmygydd o waith Geoff Charles, y ffoto-newyddiadurwr Cymreig (1909-2002), a bu yntau hefyd yn cofnodi ar yr ynys 65 mlynedd yn ddiweddarach. Cyd-ddigwyddiad hapus yw bod fy lluniau innau yn cael eu cyhoeddi yn y gyfrol hon 65 mlynedd wedi ei ymweliad yntau. Cyflwyno portread cyfoes a f'ymateb innau i'r ynys drwy gyfrwng ffotograffiaeth yw prif nod y gyfrol ond credaf fod cyhoeddi lluniau gan y ddau ffotograffydd yma yn cyfoethogi'r gyfrol drwy roi cip ar y gorffennol.

Yn wylaidd rwy'n gweld fy hun mewn olyniaeth i'r ffotograffwyr yma fu'n arwain y ffordd. Ffordd o fyw yw ffotograffiaeth i mi fel iddynt hwy, ac mae'r lluniau yn datgelu sut yr ydym yn gweld, yn dehongli a chofnodi'r byd o'n cwmpas. Bûm hefyd yn casglu fel pioden ambell ddyfyniad a cherdd, hen luniau a ffeithiau gan wau'r rhain i mewn i'r gyfrol. Y lluniau, serch hynny, fu'n gyrru'r gyfrol yn ei blaen oherwydd mae gennym nifer o gyfrolau sy'n adrodd stori Ynys Enlli drwy gyfrwng y gair. Fy mwriad yw adlewyrchu bywyd cyfoes yr ynys yn y ganrif hon yn ogystal â'r hud oesol a berthyn iddi.

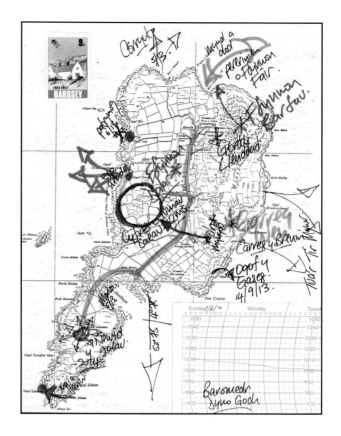

Mynydd Mawr

Mae cyrraedd pen draw darn o dir yn brofiad sy'n gorfodi'r mwyaf cyndyn o ramantwyr i syllu draw dros y môr yn hiraethus tua'r gorwel. Yr olygfa oesol o'r Mynydd Mawr, Uwchmynydd, sy'n fythol gyfnewidiol o ran ei goleuni yw'r unig ganfyddiad sydd gan lawer o Ynys Enlli. Peth o atyniad yr ynys yw nad yw hi bob amser yn hygyrch a'i bod hi'n anodd ei chyrraedd pan fydd y môr yn wyllt. Does dim i'w wneud wedyn ond oedi yma ac edrych draw. Ac mae'r anhygyrch yn aml yn annog yr ysfa i greu dirgelion a chwedloniaeth.

Hwyrach fod Ynys Afallon yn rhan annatod o'r *psyche* Cymreig, a does unman gwell na'r olygfa o'r Mynydd Mawr i ddarlunio'r cysyniad hwnnw. Mae'r diriaethol a'r chwedlonol yn 'gymysg oll i gyd' yn hanes yr ynys. Tasg anodd yn aml yw gwahanu'r myth o realaeth y lle gyda darnau o'i hanes yn gudd dan gwmwl fel yr ynys ei hun ar brydiau. Ar hyd y canrifoedd cafodd Enlli ei gweld gan lawer fel rhyw Dir na n-Og neu dŵr o wydr tu hwnt i gyrraedd yn y dychymyg.

Dywedir mai'r chwedl am Gwennan, cwch y Brenin Arthur, yn dryllio yn y swnt sydd wedi esgor ar yr enw Ffrydiau Caswennan. Dywed eraill mai'r chwedl am longddrylliad Gwennan Gorn, llestr Madog ab Owain Gwynedd, ger yr ynys yw tarddiad yr enw. Mae'n ddifyr gweld bod Lewis Morris, wrth fapio'r Swnt yn y ddeunawfed ganrif, yn dyfynnu llinellau o gerdd gynnar Robert Leia (1450) sy'n crybwyll yr enw.

Mae'n debyg fod pawb ohonom yn gweld delwedd wahanol yn siâp yr hen ynys. Disgrifia Seisyllt ap Huw yr ynys fel 'rhyw lygoden fawr *couchant*' yng nghylchgrawn Y Ford Gron yn 1933! Mae Jim Perrin yn ei gweld hi fel morfil yn y pellter tra bod Aled Jones Williams yn ei gweld fel cap *baseball* wedi ei daflu i'r môr gan forwr di-hid. A minnau bob amser yn ei gweld fel copa bryn gan ddychmygu sut brofiad fyddai cerdded drwy'r dyffryn dychmygol o goed a nentydd sy'n cuddio dan y tonnau. Pawb at y peth y bo!

Rwy'n eistedd ar damed o graig uwchben Ffynnon Fair lle mae'r dŵr croyw yn dal i ffrydio ohoni drwy bob trai a llanw pan fydd hi dan donnau gwyllt y môr, chwedl Cynan. Mae'r dychymyg yn troi fy meddwl y tro hwn at y pererinion cynharaf fu'n yfed o'r ffynnon cyn croesi draw i'r ynys, a'r chwedloniaeth am yr ugain mil o saint y dywedir eu bod wedi eu claddu yno. Cafodd Enlli ei galw gan rai yn Iona Cymru a dyna yw atyniad a phwysigrwydd yr ynys iddyn nhw.

Dychwelaf i realaeth y presennol wrth sylwi ar y llwch sydd wedi cronni ym mhlygion fy hen esgidiau cerdded – llwch yr ynys. Ynys fyw 'heddiw' yw Enlli i mi, ac wrth edrych ar ongl yr haul rwy'n tybied ei bod hi tua phump o'r gloch (dwi erioed wedi gwisgo oriawr). Tybed ydy Jo yn y beudy yn godro'r geifr? Mae Ben, mae'n debyg, yn seiclo ffŵl sbîd adre lawr y lôn o'r Wylfa Adar.

Fe fydd Christine wrthi'n paratoi swper cynnar yng nghegin Dyno Goch. Mae Ernest lawr yn Y Cafn mae'n siŵr yn rhoi help llaw i ollwng y *Benlli* i'r dŵr am y tro olaf heddiw cyn i Colin ei llywio am adre heibio Pen Cristin yn ôl i Borth Meudwy. Ac yn y Porth y byddaf innau ben bore fory, gan obeithio caf groesi draw yno.

Ond y mae'n gorwedd y tu draw
i Lŷn ynys fechan y preswylia
ynddi fynaich ffyddlon iawn eu
crefydd, a alwant Coelibus neu
Colidei. Rhyfeddol a berthyn
i'r ynys hon, naill ai oherwydd
iachusrwydd yr awyr a dderbyn
o'i chymdogaeth agos at
Iwerddon, neu'n hytrach trwy
ryw wyrth a haeddiannau'r saint,
yw bod y bobl hynaf ynddi yn
marw gyntaf gan mai'n brin
iawn y ceir clefydon ynddi; ac
yn anaml, neu nid o gwbl y bydd
neb farw yma, ond ar ôl nychdod
hir henaint. Enlli, yn Gymraeg,
y gelwir yr ynys hon, ac yn yr
iaith Saesneg, Bardsey. Ac ynddi,
yn ôl traddodiad, y mae cyrff
dirifedi saint wedi eu claddu ...

Teithlyfr Gerallt Gymro, 1188

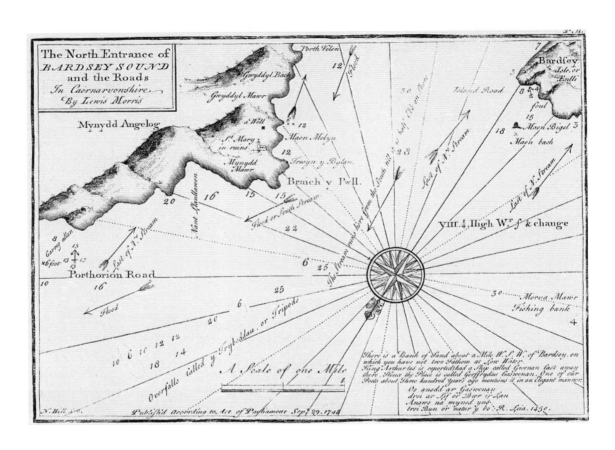

Os anodd ar Gaswennan   Anaws na myned yno
droi ar lif o'r Dŵr i'r Lan,   troi Bun o'r natur y bo

Ynys lle nid erys dig
Sy gaer wydr gysegredig.

Hywel Rheinallt o Enlli, 15fed ganrif

Porth Meudwy

Mae cerdded i lawr y lôn drol i Borth Meudwy yn rhan annatod o'r pleser o deithio i Enlli i mi. Mae'r llwybr yn dilyn y nant sy'n cuddio dan gyfoeth o flodau a chlywaf hi'n newid ei chân wrth iddi gyrraedd pen ei thaith dros y graean pan fydd y cwm cul yn agor yn draeth bychan a'r môr yn gefnlen iddo. Naws porthladd sydd i'r lle gyda'i gasgliad o gychod, faniau'r pysgotwyr, pentwr o gewyll yn pwyso yn erbyn wal y storws ac arogl tanwydd yn gymysg ag awel hallt y môr. Heddiw yn y bore bach mae'r môr fel llyn a does neb yn y golwg, er bod y cawell yn barod i gario'r cwch i'r traeth. Caf gyfle i grwydro'n hamddenol a chanfod perlau o gerrig a osodwyd gan rywun ym mhob twll a hollt yn y creigiau hynafol sy'n cysgodi'r traeth. Rhywrai oedd am greu celfyddyd y tir ac atgof o'u hymweliad â'r lle.

Fesul dau neu dri mae teithwyr eraill yn cyrraedd, pob un â'i hanes, a daw tameidiau o sgwrs i dasgu'n adlais drwy'r lle. Yna clywaf sŵn injan yn y pellter ac o fewn dim mae'r *Benlli*'n ymddangos gan droi'r traeth yn fwrlwm o weithgaredd a chyffro wrth i bawb hel ei bac. Bydd y gymysgfa ryfeddol o focsys a chesys a bagiau yn cael eu llwytho'n drefnus i'r cwch cyn ymadael am yr ynys.

Croesi'r Swnt

Yn ei chyfrol *Tide Race* mae'r artist Brenda Chamberlain, a fu'n byw ar yr ynys am flynyddoedd, yn sôn am y profiad o deimlo amser yn sefyll yn llonydd am ennyd rhwng 'fan hyn a'r fan draw' wrth groesi'r Swnt. Cofiaf innau deimlo am y tro cyntaf yr eiliad honno pan drodd 'fan hyn' yn 'fan draw' wrth deithio ar y cwch draw i'r ynys – profiad y byddwn bob amser yn edrych ymlaen ato yn y blynyddoedd hynny pan oedd Enlli'n ddihangfa lwyr i mi.

Yr eiliad y byddai'r cwch yn troi tua'r gorllewin heibio i Ben y Cil, teimlwn ryddhad fod bywyd ar y tir mawr yn cilio ac yn troi'n angof am sbel, a minnau bellach y tu hwnt i'w gyrraedd. Teimlwn fod shifft yn digwydd i bersbectif y meddwl a'r gweld wrth i mi deimlo 'mod i ar anwadal donnau'r môr yn teithio rhwng dau le.

'Yr ynys yn y cerrynt' yw ystyr yr enw Enlli. Mae sawl cerrynt cryf yn symud yn y Swnt, a chyfeiriwyd at bob un wrth ei enw ar un cyfnod. Prin yw'r defnydd a wneir o'r enwau bellach ond clywais Ernest, a fagwyd ar yr ynys, yn sôn am y Lleisied. Holi oeddwn i beth oedd arferion trigolion Enlli wrth groesi'r Swnt 'slawer dydd. Cefais wybod y byddent, gan amlaf, yn rhwyfo draw am Aberdaron ryw ddwyawr wedi'r gorllan (y penllanw) ac yna'n dychwelyd wedi'r distyll, neu lanw isel.

Rhaid parchu pŵer y môr – a'i ofni weithiau. Mae sawl hanes am drychinebau, a'r beddau ym mynwent Aberdaron yn dyst i fywydau a gollwyd wrth groesi'r Swnt. Digwyddodd y drychineb fwyaf tua 1722 pan gollwyd nifer o drigolion Enlli, llawer ohonynt yn wragedd yn dychwelyd gyda chyflenwad o wlanen o ffatri Pencaerau. Canodd Ieuan Lleyn alarnad i drychineb arall yn 1822 pan foddwyd chwech o'r ugain o bobl oedd yn croesi ar gwch y *Supply*.

Mae'n hawdd credu stori Thomas Pennant yn ei gyfrol *Tours in Wales* yn 1778 am y morwyr yn oedi ar ganol y Swnt gan dynnu eu capiau i offrymu gweddi yn ystod ei daith i'r ynys. Erbyn hyn mae dwy injan bwerus y *Benlli*, dan ofal medrus Colin y cychwr, yn caniatáu i ni groesi'r gwta ddwy filltir o fôr yn hwylus mewn llai nag ugain munud. Ac eto, er pob datblygiad technolegol, fe fydd wythnosau yn y gaeaf pan fydd yr ynys y tu hwnt i gyrraedd pawb oherwydd cerrynt y swnt a'r gwynt sy'n chwyrlïo uwchben y tonnau.

Clywais waedd dros ddyfnfor heli –
Tristlawn gri o Enlli oedd –
Gwaedd uwch rhuad gwynt ysgeler
A mawr flinder mor a'i floedd;
Gwaedd y gweddwon a'r amddifaid,
Torf o weiniaid: darfu oes
Gwŷr a thadau yn y tonnau,
Llynnau, creigiau, llanw croes.

Galarnad Ieuan Lleyn

Y Cafn lledred 52°.75 hydred – 4°.78

Rwy'n eistedd ar hen fainc a luniwyd o ddwy styllen o froc môr yng nghysgod yr hen storws; fy nghefn yn pwyso yn erbyn y wal gerrig a'm llygaid yn syllu draw tua'r llinell rhwng tir a môr. Mae awel ysgafn yn anwesu fy ngwallt. Dyma un o fy hoff lecynnau ar yr ynys, ac mae'n siŵr fod yr hen fainc yma'n cynnal llawer o gyfrinachau a chlecs a rannwyd gan y rhai fu'n eistedd arni ar hyd y blynyddoedd. Dyma un o'r ychydig lecynnau yn yr ynys lle mae gobaith go lew i gwrdd ag eraill i rannu sgwrs, ond heddiw does neb yn y golwg. Yr unig gleber a glywaf yw lleisiau cwynfanus y morloi'n adleisio ym mhen draw Honllwyn.

Yn y tawelwch rwy'n ymwybodol o'r tonnau bychain llywaeth yn y Cafn islaw, sy'n tynnu anadl yn dyner cyn ei dychwelyd yn sisial tawel ymysg y graean. Mae'r patrwm yn dilyn hen drefn a churiad fu'n gyson ers cyn cof ac a fydd yn parhau i wneud hynny'n dragwyddol, nes gwneud i minnau weld fy hun fel gronyn bach o dywod wedi ei gario yma i draeth yr Honllwyn am ennyd fer.

Bydd y Cafn yn ferw o weithgaredd a'r cyffro sy'n gyffredin i borthladd pob ynys pan fydd cwch yn cyrraedd. Dyma galon yr ynys i mi – y man cychwyn i bob ymweliad, profiad a gweithgaredd. Mae holl anghenion yr ynys, ac eithrio cynnyrch y gerddi, yn cyrraedd y porthladd bychan hwn a grëwyd pan chwythwyd agen yn y creigiau i hwyluso cario'r cerrig i adeiladu'r goleudy yn 1820. Yma, gwelir Colin yn neidio'n chwim i ben y tractor a thynnu'r *Benlli* neu ei gwch mawr, y *Maria Stella* i dir sych uwchlaw'r porthladd ac i ddiogelwch yr ynys.

Islaw, ar y lanfa, mae dwy relen ddur yn rhedeg i lawr i'r dŵr, a heddiw yn nhawelwch yr eiliadau llonydd hyn, mae'r ddwy linell o ddur yn arwain fy llygaid tua'r gorwel ac yn tynnu fy nychymyg ar daith fyfyriol yn eu sgil. Dychmygaf y ddwy rêl yn ymestyn dan y môr, tu hwnt i'r gorwel y gallaf ei weld a'i ddirnad, nes amgylchynu'r byd yn grwn. Dwi'n eu gweld nhw am eiliad yn llinellau hydredol sy'n cofnodi lleoliad yr ynys ar fap y byd. Byddai'n briodol ac yn addas iawn eu hystyried felly oherwydd mae cip ar hanes Enlli yn dangos fel y bu'r ynys fechan y mae llawer ohonom ni heddiw yn dianc i'w heddwch, yn fwrlwm prysur ac yn ganolbwynt pwysig i deithwyr ar sawl adeg yn ei hanes. Mae gwedd gyfoes i'r lle bellach, a chychod pwerus Colin yn llwyddo i gario miloedd o ymwelwyr yn ystod cyfnod yr haf – a llu o anifeiliaid!

Dan fy Nhraed

Cyflwynodd y bardd William Blake y cysyniad o weld byd mewn gronyn o dywod yn un o'i gerddi mwyaf adnabyddus. Gwelaf innau gyfandiroedd mewn darnau o graig wrth grwydro'r ynys a chwilota dan fy nhraed. Mae'r patrymau yn aml yn debyg i luniau o'r ddaear o bellteroedd y gofod. Ar Ynys Enlli dwi'n teimlo fy nhraed yn cyffwrdd â chreigiau a fu yma ers tua chwe chant o filiynau o flynyddoedd. Maent ymhlith rhai o greigiau hynaf ynysoedd Prydain ac yn dyddio o gyfnod Cyn-gambriaidd, er bod rhai yn dadlau eu bod yn perthyn i'r cyfnod Cambriaidd. Dwi'n poeni dim pa ddyddiad sy'n fanwl gywir oherwydd mae fy ymennydd yn cael ei herio i'r eithaf i amgyffred a mesur hyd a lled y fath ehangder maith o amser wrth i mi dynnu llun mewn amrantiad. Serch hynny, mae creu cysylltiad rhwng y ddau begwn o ystod amser drwy gyfrwng delwedd yn fy nghyffroi. Alla i ond rhyfeddu ac ymateb i'r ddrama fawr ddaearegol a welir ar lannau'r môr, a chreu delwedd o geinder manwl y garreg fechan ar y traeth. Does gen i ddim awydd i gofnodi'n wyddonol oeraidd, dim ond ymateb yn emosiynol i'r elfennau a welaf fel rhan annatod o wneuthuriad ac ysbryd y lle. Hwyrach mai drwy gyfrwng yr haniaethol mae ceisio cyfleu anferthedd treigl yr amser rhwng y creu a'r cofnodi hwn.

O'r Mynydd Mawr i Fynydd Enlli ac ar hyd y glannau mae amrywiaeth y creigiau yn syfrdanol. Rwy'n hoff iawn o gyfieithiad y daearegwr Dyfed Elis Gruffydd o'r term *melange*, sef 'cybolfa'. Y ddrysfa, neu'r gybolfa, hon o greigiau yw hanfod daearegol yr ynys.

Mae'n ddifyr gweld ein hawydd fel pobl ym mhob cyfnod i enwi pob craig a thwll ac ogof. Mae rhestru enwau creigiau ac ogofâu Ynys Enlli yn creu cerddi cain sydd â chyfoeth o storïau wedi eu gwau ynddynt. Mae talpiau o hanes yr ynys yn yr enwau a'r gofod sydd rhyngddynt yn gyrru'r dychymyg ar daith.

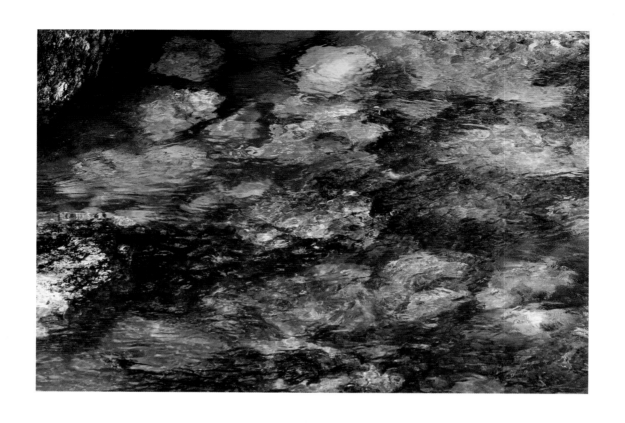

Ogo'r Cwch Bach   Ogo'r Gwr   *Ogo Dic*   Ogo Las

Ogo Trwyn yr Hwch Fach   Ogo Trwyn yr Hwch Fawr

Ogo'r Benddu   Ogo Hir   **Ogo Braich y Fwyall**   Ogo Werbod

Ogo'r Hen Ffrindiau   Ogo'r Hen Fuwch   Ogo Hen

Ogo Felan Fawr   Ogo Felan fach   Ogo Gwman Shon
Ogo Twll y Trwyn   Ogo Gron   Ogo'r Barcud   *Ogo Ellyll*
Ogo Sian Goch   Ogo Sgiaren   Ogo Lom   Ogo Morgan
Ogo Diben   Ogo Lladron   Ogo'r Stwffwl Glas

Yr Abaty

Os mai'r Cafn yw calon yr ynys, y lôn drol sy'n troelli i'w phen gogleddol yw'r brif wythïen sy'n hanfodol i fywyd arni. Dyma'r unig lwybr sy'n ddigon llydan i ganiatáu i dractor deithio ar ei hyd. Mae llu o lwybrau cerdded yn ymestyn i bob cyfeiriad ohoni i greu gwead o gysylltiadau fu'n cynnal curiad bywyd yr ynys – ac yn parhau i wneud hynny. O ddilyn y lôn fechan i'w phen draw daw tŵr yr abaty i'r golwg ac wrth odre hwnnw mae'r hen fynwent. Tybid i'r tŵr gael ei adeiladu yn y drydedd ganrif ar ddeg, ar dir fu'n cynnal crefydd ers canrifoedd. Mae'r garreg fedd syml heb air arni yn cynrychioli hanes y canrifoedd hynny.

Dyma'r adeilad hynaf ar yr ynys. Mae'r plât gwydr sy'n cynnal delwedd John Thomas ohono wedi dirywio, ond mae ôl y blynyddoedd yn ychwanegu at ei naws rhywsut ac yn adlais o ddadfeiliad yr abaty ei hun. Treuliais sawl ennyd dawel rhwng y muriau, ac un prynhawn o Ionawr sylwais ar lafnau isel o olau llachar yn taro ar y croesau bychain ar yr allor yn nhywyllwch y lle. Douglas Hague a greodd yr allor ar ei newydd wedd yn 1983 a gweinyddir y cymun yma yn achlysurol. Yn y cysgodion mae'n hawdd dychmygu gwychder yr adeilad fel y disgrifiad a geir yng nghyfrol Richard Fenton, *Tours in Wales*, a'r darlun yng nghywydd Thomas Kelli o'r 'prior ger y môr maith, da ei ladin di-lediaith' gyda'r pum ffenestr hardd a'r ardd enwog gyda delwedd o Grist ynddi. Diddymwyd yr abaty yn 1537. Mae'n rhyfedd meddwl bod y lle cysegredig hwn wedi cael ei droi yn garchar yn ystod cyfnod y Rhyfel Cartref.

Am eglwys Fair ei hun dywedir ei bod yn mesur rhyw ddeuddeng llathen o hyd a phump o led, ynghanol llan sgwâr, a bod yn nhŵr yr eglwys chwech o glychau campus, ac o fewn y fynachlog lyfrgell ragorol o lawysgrifau. Odditan y cyfan yr oedd seleri mawrion.

Richard Fenton, *Tours in Wales*, cyf. Cathrine Daniel

DYMUNAF CAEL FY NGHLADDU YN MYNWENT
YNYS ENLLI HEB NA RHWYSC NA RHODRES."

pererindod

(pererin+-dod, cf. Llyd. C. pirchirindet)

Dyhead i fod yn unig gyda'i Dduw a ddenodd Cadfan i sefydlu ei gell ar yr ynys yn y chweched ganrif. Ers hynny bu'r ynys yn gyrchfan i bererinion ac ystyrid tair pererindod i Enlli yn gyfwerth ag un daith i Rufain. Fedra i ddim ond dyfalu pam fod angen plismona'r bererindod a gofnododd Geoff Charles yn 1950.

Diweddglo'r pererindodau heddiw yw gwasanaeth syml yn y capel. Adeiladwyd hwnnw yn 1875 pan roddodd yr Arglwydd Newborough ddewis i'r trigolion o gapel neu borthladd. Mae'r addurniad yn rhwysgfawr ond mae naws yr adeilad a'i leoliad ger yr abaty yn annog myfyrdod a defosiwn. Tystia'r llyfr ymwelwyr wrth yr allor i werthfawrogiad yr ymwelwyr o bedwar ban byd o brydferthwch a thawelwch heddychlon yr ynys. Estynnwyd ystyr pererindod yn yr oes hon y tu hwnt i ffiniau uniongred crefydd ac eto mae'r dynfa a deimlodd Cadfan yn dal i ddenu'r eneidiau hynny sy'n agnostig ac yn anffyddwyr i encilio a myfyrio ymhell o brysurdeb y byd.

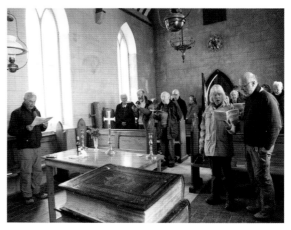

Ffynhonnau

Bu'r ffynhonnau yn hanfodol i gynnal bywyd ar yr ynys trwy'r oesau a thyfodd tipyn o chwedloniaeth amdanynt. Dywedir bod tyllau Ffynnon Barfau wedi cael eu creu gan draed cawr yn glanio yno wedi iddo neidio i Enlli o Faen Bugail! Credir mai yno yr eilliai'r mynachod eu pennau gan ddefnyddio'r dŵr llonydd fel drych. Honnir bod i ddŵr Ffynnon Dalar rinweddau iachaol. Mae'r ffynnon i'w gweld yng nghae Bryn Baglau ger y lôn drol. Heddiw, Ffynnon Corn sy'n gynhaliaeth bywyd i'r ymwelwyr gyda'i chyflenwad o ddŵr i'r aelwydydd.

Yn y cywydd am yr 'Ugain Mil o Saint' gan Hywel ap Dafydd Ieuan ceir y disgrifiad isod o ffyn baglau'r cleifion a iachawyd yn gwreiddio yn naear Ynys Enlli.

Tyfsont fal twf Moesen
Pob un yn llwyn yn dwyn dail
A gyfoeth o ryw gwiail
O anian pridd yn un pren

ffynnon diliaranna ffynnon caseg *ffynnon corn*

ffynnon waen Cristin *ffynnon tan radell*

ffynnon cae dwfr ffynnon barfau ffynnon uchaf

ffynnon Owen Rolant ffynnon weirglodd bach

ffynnon defaid *ffynnon caseg*

Nifer holl dai yr Ynys – 16; 10 yn ffermdai

Mesur yr holl dir llafur – 250 erw, y gweddill yn fynydd

Nifer y da byw corniog – 58, gan gynnwys bob rhyw a maint

Nifer y ceffylau – 21

Ceid yno rai ugeiniau o ddefaid, rhai degau o foch, dwsinau o ieir ac ychydig o hwyaid

Yr oedd ar yr Ynys 16 o gathod a 12 o gŵn

Rhif yr holl eneidiau oedd 72, yn cynnwys 36 o wrywod a 36 o fenywod

Gwelir bod y ddau yn gyfartal o fewn rhif

Ceid yno y pryd hynny 12 o hen lanciau a 13 yn hen lancesau: go gyfartal ynte!!

Nifer y plant oedd 12 gan dri theulu yn unig

Cyfrifiad ac ystadegau o'r ynys a gofnodwyd gan y Parchedig W. T. Jones yn 1880

'Yr oedd bywyd yn ddifyr dros ben yn Enlli pan oeddwn i'n hogyn
– mynd i dai ein gilydd gyda'r nos ac adrodd hen chwedlau a hanesion.'

Tomos o Enlli

Pobol Enlli

Edrychais allan drwy ffenest llofft Nant un noson o haf yn 2003 wrth baratoi tamed o swper i mi fy hun a chael cip ar Carole, yr artist preswyl, yn cerdded draw o gyfeiriad Penrhyn Gogor. Ymddangosai fel rhith o'r gorffennol yn y gwyll. Gallai'n hawdd fod yn un o'r tyddynwyr a arferai ddringo i ben Cristin i weld a oedd ei chymar neu ei chariad yn dychwelyd yn ddiogel yn ei gwch dros y Swnt. Yng ngolau tyner yr hwyrddydd mae'n hawdd iawn dychmygu bywyd yr 'hen bobl' fel y disgrifir nhw – y gymdeithas o dyddynwyr a physgotwyr fu'n byw yma. Hyd heddiw mae gan fywyd yma ei rythmau a'i amser ei hun, a gyda'r hwyrnos pan fydd yr haul yn teithio tua'r gorwel rydw i'n teimlo fel petai'r ynys ei hun yn arafu cyn clwydo.

Mae nifer o ddyddiaduron a chyfrolau sy'n adrodd hanesion am y gymdeithas glòs a fu'n byw yma ar hyd y canrifoedd – cymeriadau fel Tomos o Enlli, Bessie Williams a dyddiaduron a chofnodion y gweinidog, y Parchedig William Thomas Jones. Mae *Tide Race* Brenda Chamberlain yn glasur o gyfrol lenyddol sy'n cyflwyno ymateb bardd ac arlunydd i'r profiad o fyw yma. Y bardd Christine Evans yw'r cofnodydd neu'r storïwr sydd wedi llwyddo i grisialu enaid y lle a'i hanes yn ddeheuig yn y cyfnod diweddar. Mae blas y profiad o fyw yma o'r gwanwyn hyd at ddiwedd yr hydref ers deugain a mwy o flynyddoedd yn lliwio'i dweud ac mae ganddi gerddi cain a ysbrydolwyd gan yr ynys. Priododd ag Ernest, y pysgotwr a gafodd ei eni a'i fagu ar yr ynys, ac mae Colin, eu mab, yn gychwr, ceidwad y goleudy, dylunydd ac adeiladwr cychod – a lladmerydd huawdl dros hawliau a dyfodol yr ynys.

Carreg Bach, y bwthyn gwyngalchog gyda'i ddrws coch yn wynebu'r machlud, yw'r unig dŷ sy'n perthyn i gyfnod y tyddynnod syml a fu'n cysgodi yng nghesail y mynydd. Adeiladwyd gweddill y tai yn y 1870au dan gynllun datblygu'r Arglwydd Newborough, y tirfeddiannwr. Mae'r bensaernïaeth yn nodweddiadol o dai ei stad ar y tir mawr a defnyddiwyd llawer o gerrig yr abaty i'w codi.

Galwais draw un bore i gegin Tŷ Bach i gael sgwrs gydag Emyr, y warden. Bu'n gofalu am y tai a'r gerddi, a bu'n hael ei gymorth i ni'r ymwelwyr tan iddo fudo i Rhiw ar y tir mawr gerllaw yn ddiweddar. Mae ffrwyth ei lafur yn waddol gwerthfawr i'r ynys. Roedd ei ardd bob amser yn werth ei gweld a chadwai'r cynnyrch ohoni'n ofalus i'w gynnal yn ystod hirlwm y gaeaf. Roedd wedi bod yn y caeau yn casglu madarch a'r rheiny'n sychu'n rhaffau uwchben y stôf, ac wedi bod wrthi'n brysur yn rhaffu'r winwns (neu'r nionod fel y galwai e nhw!). Rhodri, yr arlunydd, ddaeth i'w olynu, er ei fod yntau bellach wedi dychwelyd i ynysoedd yr Alban.

Yn stafell fyw Dyno Goch mae lluniau lliwgar yr wyresau'n addurno wal y simdde uwchben y Rayburn ac mae'r baromedr bob amser yn ganolbwynt i'r dreser. Bydd Ernest yn craffu arno'n gyson i weld beth yw arolygon y tywydd. Manylion fel hyn sy'n gosod aelwydydd y trigolion ar wahân i'r rhai y byddwn ni'r gwenoliaid sy'n mudo yma yn aros ynddynt am sbel fach. Serch hynny, mae naws y gorffennol i'w deimlo ar yr aelwydydd o hyd. Yn Nhŷ Capel dwi'n teimlo rhyw oerni lle cysgaf – stydi'r gweinidog fu honno! Ond mae ffenest y gegin yn chwys diferion yn y machlud ar ôl y coginio. Wrth ymadael â Hendy un tro cymerais gip yn ôl ar y gegin a gweld cysgodion syml, tawel yr offer coginio yn adlais o'r prysurdeb a fu fan honno.

Aelwyd gynnes yw Dyno Goch lle mae'r tegell bob amser ar y stôf. Mae Christine yn un barod ei gwên a'i chroeso a bydd yr oriau yn pasio'n ddiarwybod i ni wrth sgwrsio uwchben bwrdd y gegin. Mae'r baned yn flasus a'r sgwrs yn newid ei chyfeiriad mewn amrantiad o drafod cyflwr ein tomatos i gyfoeth hanes yr ynys a chonsyrn am ei dyfodol. Mae'n siŵr ei bod hi'n eithriad prin – bardd telynegol sy'n llawn dychymyg a delweddau cain ond â'i thraed bob amser yn solet ar y ddaear. Tybed ai byw ar ynys a'r angen i fod yn ddyfeisgar a darbodus sy'n creu'r cyfuniad hwn? Bydd Ernest yntau, yn amlach na pheidio, â'i drwyn mewn llyfr: gŵr sy'n cofleidio'r gorau o wybodaeth a thechnoleg newydd ac ar yr un pryd yn gwerthfawrogi etifeddiaeth yr ynys a'i olyniaeth.

Afal Enlli

Mae hen goeden afal sy'n tyfu yng nghysgod y Plas yn goeden enwog ac unigryw. Does neb yn gwybod pa mor hen yw'r fam goeden hon, ond mae Ernest, sydd bellach wedi pasio'i 70, yn ei chofio yn tyfu yno erioed. Diolch i ymdrechion y dewin coed Ian Sturrock, a lwyddodd i grafftio darn o'r hen goeden ar wreiddgyff newydd, achubwyd y rhywogaeth rhag mynd i ddifancoll a bellach mae modd i ninnau blannu coed en Afal Enlli yn ein gerddi.

Gorffennaf 2005
Wedi cyrraedd Hendy eto eleni, ac wrth fynd i'r tŷ bach yn yr ardd clywais
lais cyfarwydd yn dod dros ben y clawdd o gyfeiriad gardd Nant, drws nesa
– Merêd! Roedd yn rhaid tynnu llun sydyn ohono'n golchi ei draed ar ôl
bod yn dringo'r mynydd.

Brenda Chamberlain

Cofiaf ddringo'r grisiau yng Ngharreg am y tro cyntaf a chael fy synnu gan furlun yr artist Brenda Chamberlain yn ymddangos o'r gwyll fel rhyw ffresgo cyntefig gyda'i liwiau yn tasgu oddi ar y wal. Roedd darnau o'r llun wedi eu colli erbyn hynny ond cyffrôdd fy meddwl wrth ei dychmygu hi'n brysur yn ei baentio yn ystod y cyfnod y bu'n byw ar yr ynys; y brwsh yn taenu trwch o baent yn gadarn ar wal ei chartref. Roedd hi'n arferiad ganddi i ddefnyddio unrhyw beth – yn bapur newydd neu damed o wal – i ddatblygu ei syniadau pan oedd prinder defnyddiau pwrpasol.

Yn dilyn gwaith adfer mae'r lluniau sydd ar y waliau bellach yn gofnod o'r hyn a ddarluniwyd ganddi. Yn achos y llun cyntaf yma a welais flynyddoedd yn ôl, dim ond rhith ohono sydd i'w weld erbyn hyn gan ei fod wedi ei orchuddio'n llwyr gan ddeunydd tra bod y wal sy'n ei gynnal yn sychu. Gobeithio rhyw ddydd y cawn ei weld wedi ei adfer fel gweddill y lluniau.

Yr Ysgol

Does fawr wedi newid yn ymddangosiad allanol yr ysgol ers i Geoff Charles ei chofnodi yn 1950. Mae cofnod bod 20 o blant yn cael eu haddysgu yno yn 1770 ond fe gaewyd yr ysgol yn 1950 yn dilyn yr 'allfudo' yn 1925 pan adawodd nifer o deuluoedd yr ynys. Yr athrawes olaf oedd Mrs Scheltinga (y Prifardd Dilys Cadwaladr). Cynhelir nifer o weithgareddau yno yn ystod yr haf, a'r uchafbwynt yw cyflwyniad Christine Evans o'i cherddi a hanes yr ynys. Mae hynny, ar un ystyr, yn barhad o'r addysgu a fu yno drwy gydol ei hanes.

Ynys Enlli yw cartref Connor. Mae wedi byw yma erioed, ac eithrio'r wythnosau y bydd ef a'i rieni, Emma a Steve Stansfield o'r wylfa adar, yn eu treulio ar y tir mawr yng nghanol y gaeaf. Does dim dewis heddiw ond cael ei addysgu adref, fel y cafodd Ben a Rachel Porter, plant y fferm, Tŷ Pella. Mae'r ddau bellach wedi gadael y nyth ac i ffwrdd yn y coleg yn datblygu eu sgiliau celfyddydol.

Amaethu

Un prynhawn crasboeth o haf pan oedd yr haul llachar yn tasgu oddi ar lawr y clôs penderfynais chwilio am gysgod yn yr hen feudy ar fferm Tŷ Pella. Yn y tywyllwch teimlais fy llaw yn cyffwrdd â chanrif a mwy o hanes wrth i mi godi'r glicied gyda fy mys i gau'r drws ar fy ôl, a sylwais ar gyfoeth lliw'r pren. Roedd y dwylo fu'n gofalu am yr anifeiliaid ar hyd y blynyddoedd wedi gadael eu hôl. Manylion bychain fel hyn sy'n adrodd hanes orau yn aml. Mae arwyddion o orffennol crefft gyntaf dyn i'w gweld ar yr ynys mewn hen offer sydd bellach yn rhydu ac wedi toddi i fod yn rhan o'r tirlun. Adeiladwyd y fferm yr un pryd â'r tai ond mae'r arferiad o amaethu yn mynd yn ôl ganrifoedd. Mae map cain a ddarluniwyd o Stad Boduan yn enwi llawer o'r caeau, a'r enwau hynny yn cynnig allwedd i ddatgloi hanesion yr ynys ac yn rhoi'r dychymyg ar waith. Mae'r cyfan yn farddoniaeth ac yn gynghanedd.

Sylwais ar batrwm diddorol yn y plethwaith o gaeau flynyddoedd yn ôl wrth edrych i lawr o'r mynydd yn y bore bach. Erys y ffurf yn gyson ond mae lliwiau'r patrwm yn newid gyda'r tymhorau, a hen hanes wedi ei wau i mewn i'r brethyn drwy gyfrwng yr enwau hardd.

Tir ffrwythlon fu tir Ynys Enlli ar hyd y blynyddoedd fel y tystia'r cofnodion am ansawdd yr haidd. Roedd gwell byd gan drigolion Ynys Enlli na'r bobl ar y tir mawr. Bydd ffermio heddiw yn dilyn patrwm oesol amaethu drwy'r tymhorau, o hau a medi a gofalu am y stoc o wartheg a defaid. Bydd lliwiau'r ynys yn newid yn drawiadol erbyn canol haf, yn arbennig mewn hafau sych, a'r uchafbwynt wedyn yw'r cynhaeaf gwair a'r cneifio. Bydd teulu'r Cwrt a'u cyfeillion yn dod draw o'r tir mawr i gyflawni'r gwaith – diwrnodau o chwysu a thynnu coes ei gilydd yng nghanol y gwlân. Bydd yr ynys i gyd yn atseinio o frefu defaid pan fydd y rheiny'n cael eu didoli. Daw'r gwlân yn ddefnyddiol i Jo Tŷ Pella, cymar Steve y ffermwr. Bydd hi'n brysur yn gwehyddu yn ystod y gaeaf, tra bod y mêl a gesglir gan Steve yn rhoi cynhaliaeth ychwanegol i'r teulu.

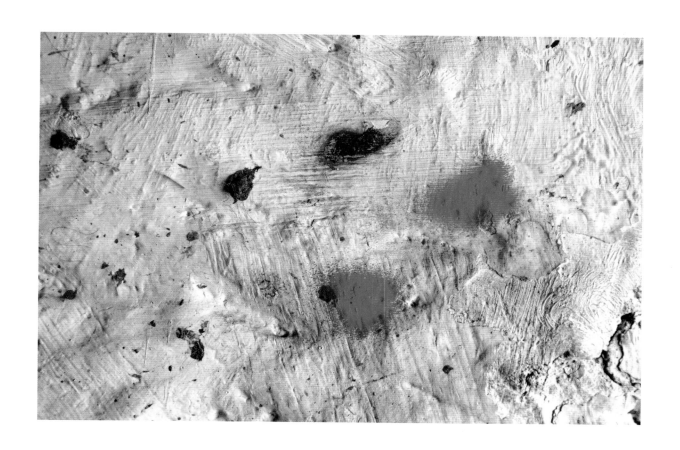

Cae Newydd Penrallt *Cae Bach Penrallt* Llain Hyll *Pen Ogof Gwr* Cae Gwrachod *Bryn Sion* Cae ar Derfyn *Weun* Weirglodd Bach

Cae Fwyallt *Cae Tan Bryn* Llain Rhedynog Bryn Bryn Iau
Weun Fawr *Weun Fach* Cae Tarw *Cae Hettar* Rhos
Cae Isa *Cae Tan y Tŷ*

'Roedd ansawdd y tir yn eithriadol o dda, a phawb yn gwrteithio gyda gwymon y môr. Tra buom yno ni welais ond un sachiad o lwch artifisial [sic.] yn cael ei ddefnyddio. A heddiw, mae mwy a mwy yn ffrwythloni'r tir heb gemegau. Yn wir byddai ffermwyr Pen Llŷn yn disgwyl ym marchnad Pwllheli am haidd Enlli, i'w ddefnyddio fel hadyd.'

Bessie Williams, *O Enlli i Gwenlli*

Bydd cnydau amrywiol i'w gweld yn tyfu'n llewyrchus ar yr ynys heddiw. Cofiaf ryfeddu yn haf 2013 wrth weld cae cyfan o flodau Tafod y Fuwch. Golygfa anghyffredin iawn.

Mae llun Geoff Charles, 'Chwilio am Ddŵr' (1962) yn pwysleisio'r angen i fod yn ddarbodus yn ystod hafau poeth yr ynys.

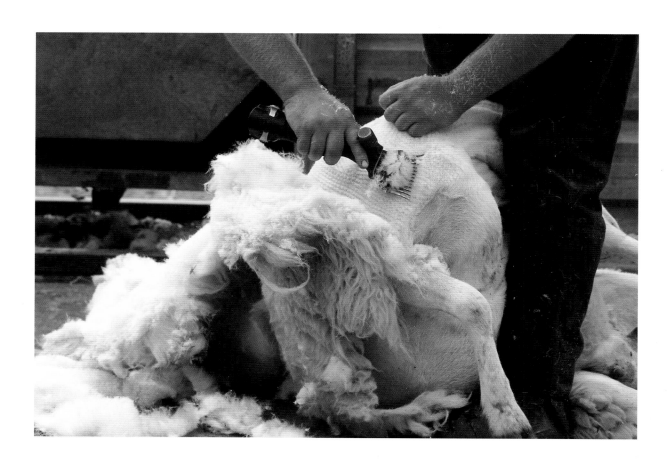

Golygfa anghyffredin oedd gweld llond cwch o ddefaid yn cael eu cario ar draws y môr, a'u gwylio nhw'n rhedeg i'r lan ar draeth Porth Meudwy cyn dilyn yr hen lôn i fyny i fferm y Cwrt. Mae'r *Maria Stella* – a adeiladwyd, fel sawl cwch arall, gan Colin – yn hollol gyfoes ond teimlais fod rhyw naws a gwedd oesol i'r gweithgaredd, am i mi ei weld fel parhad o draddodiad amaethu syml yr ynysoedd. Rhywbeth aeth i ddifancoll mewn llawer rhan o'r byd bellach.

Pysgota

Mae'r ddwy injan yn rhegi'r tonnau wrth i'r cwch hollti llwybr drwyddynt ar ras wyllt, gan adael y wêc yn atgof gwyn yn ymestyn yn ôl tua'r ynys. Ernest wnaeth fy ngwahodd i fynd gydag ef i gasglu cimychiaid ar ôl i minnau awgrymu y byddwn yn dymuno cofnodi hynny. Ro'wn i'n ystyried hon yn fraint. Rwyf wrth fy modd ar gychod bob amser ac roedd hi'n braf cael esgus i fod allan ar y môr ar brynhawn mor braf. Roedd cawell cimwch angen ei wagio draw heibio Maen Bugail, a'r rheswm am y brys oedd bod y llanw ar droi ac roedd angen ei gyrraedd cyn i'r cerrynt droi tu min. Felly ar ôl sbel o ddawnsio rhyw jig ddychmygol gyda fy nwy goes i gadw'r camera'n syth i dynnu'r lluniau, syrthiodd tawelwch wrth i'r ddwy injan gael eu diffodd, a dyma'r cwch yn arafu a siglo'n dyner cyn setlo'n llonydd. Roedd codi'r potiau gyda'r winsh; taflu gwichiaid a physgod nad oedd eu hangen yn ôl i'r dŵr a chadw'r cimychiaid yn ddiogel yn dilyn hen drefn sy'n rhan o fywyd Ernest ers blynyddoedd. Mae'n waith sy'n gofyn am gryfder ac ystwythder corff. Bu pysgota yn rhan bwysig o gynhaliaeth yr ynys erioed – dysgodd Ernest y grefft gan ei dad, Wil. Mae gan Dewi Alun Hughes ddisgrifiad hyfryd o Wil yn ei gyfrol am bysgotwyr Llŷn: 'I mi yn nyddiau plentyndod, pobl ddewr oedd yn byw ar Enlli a phobl ddewrach byth a heriai'r Swnt mewn cychod bach i groesi yno – a'r dewraf o'r rhain oedd Wil Evans, neu Wil Tŷ Pella fel yr oedd pawb yn ei adnabod.' Crëwyd Ernest o'r un brethyn â'i dad. Cyd-ddigwyddiad hyfryd oedd i mi ganfod llun ohono yn fachgen ifanc yn sefyll gyda chyfaill y tu allan i Dŷ Pella yng nghasgliad lluniau Geoff Charles. Roedd y ddau yn amlwg â'u bryd ar bysgota – ond bod y pot dipyn yn llai na'r cewyll mae'n eu defnyddio nawr!

Bydd Colin hefyd yn pysgota, a'r ddau yn cadw'r helfa o grancod a chimychiaid mewn cewyll dan y môr ac yna yn eu casglu a'u cario i Borth Meudwy unwaith yr wythnos. Bydd y rhan fwyaf o'r cimychiaid yn cael eu hallforio i Sbaen a'r crancod i Tsieina bell.

Bu pysgota yn rhan annatod o fywyd bob dydd trigolion yr ynys erioed – ac fe erys y traddodiad heddiw gyda Ben a Celyn y ci yn mynd allan o'r Cafn i bysgota yn y *Morlo Bach*. Bydd yr ymwelwyr hefyd yn troi llaw at y grefft a bu'r ddau wyniad ar blât yn swper i ninnau yn Hendy, diolch i fy ffrind Medi a'u daliodd ym Mae Nant!

Pysgod Enlli

Wrth greigiau mawreddog môr Enlli
Mae lluoedd i'w weled o bysg,
Ceimychiaid a gweiniad a glasin,
A chregin myherin'n eu mysg;
Seguriaid, crwbaniaid a chrancod,
A ddelir yn hylltod ar drai,
Er cymaint a godwyd o'r genlli
Nid ydyw pysg Enlli ddim llai.

Y cwd-coch, y mecryll a'r gyrniad,
Llysywod, migyrniaid mewn gro, -
Llymriaid, howlesod, a'r cathod,
Ni welwyd gwell pysgod mewn bro:
Chwidliniaid, morleisiaid a'r lwdlaid,
Draenogiaid, penbyliaid yn stôr,
Torbytiaid sy'n lluoedd wrth Enlli
Yn chwarae dan genlli'r dwfn fôr.

Morgyllill, picydiaid, gwelleifiaid,
Y llymeirch, a'r cocos, a'r cŵn
A'r llu cregyn gleision ysblennydd,
Er siomiant daw'r pibydd a'i sŵn:
Coelengau, y 'cod ffish', cleiriachod,
Y gwrachod a'r lledod tra llwyd,
A gleisiaid, a phenwaig yn ffynu
Mae rheiny'n dra gwerthfawr yn fwyd.

Gwilym y Rhos

Byd Natur

Mehefin 2011

Gorwedd yn ddiog yn y gwair oeddwn i pan dynnwyd ffocws fy llygaid tuag at y cynffonnau gwyn oedd yn dilyn awyren bellter uwch fy mhen yn yr awyr las. Mor glir oedd amlinell y jet, arweiniwyd fy meddwl i ystyried pwy tybed oedd arni a beth oedd ym meddyliau'r teithwyr oedd yn gaeth o fewn y silindr o ddur ac yn teithio dyn a ŵyr sawl milltir yr awr. Oedd yna rai ohonynt yn edrych i lawr ac yn pendroni pa ynys oedd islaw? A wyddent rywbeth o'i hanes? Pa wlad tybed fyddai terfyn eu taith? Dyma dechnoleg gyfoes yn caniatáu i bobl ddynwared ymddygiad yr adar fu'n ymweld â'r ynys yma ar lwybr eu mudo o bellafoedd byd ers cyn cof.

Mae'r adar mudo sydd i'w gweld ar yr ynys yn destun rhyfeddod parhaus i mi. Yn ystod fy ymweliadau â'r ynys deuthum i wybod am arferion mudo'r tameidiau bychain fel y dryw eurben neu delor yr hesg sy'n pwyso llai na darn pum ceiniog. Mae'r naill yn teithio yma o ben draw Rwsia a'r llall o'r tiroedd i'r de o anialwch y Sahara. A'r mwyaf rhyfeddol o bob rhywogaeth yw aderyn drycin Manaw, sy'n teithio o Dde'r Amerig.

Yn sydyn gwelais wylan yn hofran yn dawel osgeiddig a chroesi'r llwybr gwyn yn yr awyr. Natur wyllt a rhydd wedi cael ei ddal yn yr un ffrâm â'r awyren oedd yn prysur ddiflannu yn y pellter – dynoliaeth a chreadur wedi eu dal mewn un ddelwedd am eiliad. Mae'r berthynas rhwng dyn a chreadur i'w weld yn ddyddiol yn yr adarfa a sefydlwyd yma yn 1953 – perthynas y ceisiais ei chyfleu yn y lluniau yma. Cofnodion Steve Stansfield, y warden, a'r gwirfoddolwyr sy'n caniatáu i ni wybod cymaint am arferion ac ymddygiad yr ehediaid mudol. Bob bore byddant yn casglu'r adar a ddaliwyd yn y rhwydi dros nos ac yn clymu cylch adnabod am eu coesau a chofnodi rhif pob un cyn eu rhyddhau. Rwy'n deall y pwysigrwydd o gofnodi ac yn gwerthfawrogi'r hanesion rhyfeddol sy'n deillio o'r ymchwil yma ac mae'n ymddangos bod yr adar yn ddigon diddig, ond mae gennyf deimladau cymysg am yr arfer hwn o darfu ar eu rhyddid. Gallaf ddychmygu'r cwyno gan deithwyr yr awyren petai awdurdodau'r maes awyr yn gweithredu yn yr un modd!

Cerddais i lawr i Fae Nant yn gynnar un bore a chanfod wy aderyn wedi ei falu a'i gynnwys wedi ei ddwyn yn ysglyfaeth, a dechreuais amau'n syth ai wy aderyn drycin Manaw ydoedd.

Yr adar yma yw un o brif ryfeddodau'r ynys i mi, yn loetran, neu rafftio, ger yr ynys nes iddi dywyllu'n llwyr cyn dychwelyd i'r nythod i fwydo'r cywion. Diogelwch y cyw sy'n flaenllaw ganddynt gan fod perygl bob amser iddo yng ngolau dydd. Fel y gŵyr pawb sydd wedi aros ar yr ynys, mae'r cacoffoni ym mherfeddion y nos wrth iddynt alw ar y cywion yn sŵn iasoer.

Syllais ar weddillion y plisgyn yn disgleirio'n llachar yn yr haul a sylweddolais mor denau yw'r ffin rhwng byw a marw ar yr ynys. Mae'r adar yma'n paru am oes ac un wy yn unig sy'n cael ei ddeor bob blwyddyn gan amlaf, felly dyna siwrnai seithug o 10,000 cilomedr a mwy o safbwynt cenhedlu am flwyddyn gron. Mae gwytnwch yn perthyn i'r adar serch hynny, fel y tystia cofnodion yr adarfa. Rhoddwyd cylch am un aderyn drycin yn 1957 pan fyddai wedi dychwelyd i'w nyth yma ar yr ynys o lannau De'r Amerig yn bump neu chwe blwydd oed. Cofnodwyd ei ddychweliad sawl tro – yr olaf yn 2008 pan fyddai'n tynnu am ei drigain oed. Bydd Steve, warden yr adarfa, yn disgrifio pellter teithiau mudo'r aderyn hwn yn ddeheuig yn ei sgyrsiau fel deg siwrnai i'r lleuad ac yn ôl yn ystod oes hirfaith. Yr ydym yn freintiedig yng Nghymru fod traean poblogaeth y byd o'r rhywogaeth yma'n treulio misoedd yr haf ar ein hynysoedd.

Mae patrwm y magu hefyd yn hynod ddifyr. Bydd y rhieni yn teithio milltiroedd i bysgota am fwyd ac yn dychwelyd i fwydo'r cyw yn hael nes bydd hwnnw'n datblygu i fod yn lwmpyn tew o fflwff. Byddant wedyn yn ei heglu hi'n ôl i ben draw'r byd gan adael y cyw yn unig yn y nyth. Ni chynlluniwyd yr adar yma i gerdded ar dir sych ond yn hytrach i hedfan ac i nofio, felly wedi iddo fagu ei blu yn llawn bydd greddf yn arwain y creadur bach i gerdded yn lletchwith yn y tywyllwch i gyfeiriad y môr a hyrddio'i hun i mewn iddo o damaid o graig. Yr un reddf fydd yn ei ddysgu i hedfan a physgota am fwyd, ac yn ei arwain i ddilyn yn ddewr yr hen lwybr oesol a fapiwyd gan ei hynafiaid draw i Dde'r Amerig.

Mehefin 2015

Daeth aderyn bach o ben draw'r byd i greu cyffro mawr ar yr ynys eleni. Mae'n arferiad gan rywogaeth y Cretzschmar Bunting dreulio'r haf draw yng ngwlad Groeg a Thwrci. Pan aeth y newyddion ar led fod un o'r adar yma i'w weld ar Enlli daeth llu o adarwyr o bob rhan o Brydain yma i'w weld. Bu cannoedd ohonynt fesul llond cwch ar y tro yn martsio gyda'u hoffer draw o'r Cafn tua'r goleudy. Roedd blodau Clustog Fair yn eu gogoniant o'u cwmpas a thirwedd hardd yr ynys i'w gweld ar ei gorau, ond y cyfan oedd ar feddyliau'r rhelyw o'r adarwyr oedd cael cip ar yr aderyn a thicio blwch ar eu rhestrau o adar prin. Roedd hyn yn ymddangos i mi fel gwedd arall ar weithgarwch fel sbotio trenau neu gasglu stampiau oedd yn diwallu rhyw angen obsesiynol. Trwy drugaredd dychwelodd bywyd yr ynys yn ôl i'w rythm naturiol pan ddiflannodd y creadur bach wedi iddo gryfhau a gweld nad oedd cymar iddo ar yr ynys. I ble'r aeth e tybed?

Crwydro'r glannau

Mae angen sain i gofnodi a chyfleu yn llawn y wefr o grwydro glannau'r ynys. Bydd lleisiau piod y môr a'r gwylanod yn atseinio uwchben sŵn y tonnau, a'r morloi fel petaent yn wylofain yn Honllwyn pan fyddaf yn cerdded y traeth. Wnes i erioed deimlo'r awydd i dynnu lluniau o fyd natur cyn i mi ymweld ag Enlli gan fy mod i'n ystyried hynny'n grefft arbenigol, ond mae'n anodd osgoi'r ysfa i'w gofnodi yma. Mae fy llygaid wedi cael eu denu erioed at wead a lliw ac mae'r rheiny i'w gweld ym mhobman o'm cwmpas. Darllenais linell o Gywydd Goronwy Owen am y Maen Gwerthfawr sy'n sôn am 'chwilio gem a chael gwmon'. Gwelaf innau batrymau'r gwymon a slefrod môr a chregyn fel gemwaith.

Rhyfeddod o'r mwyaf oedd canfod bod mwy na 430 o fathau o gen cerrig ar Enlli, pob un â'i batrwm unigryw.

Y tro cyntaf i mi ddringo'r mynydd i wylio'r wawr yn torri uwchben y tir mawr meddyliais mor debyg yw dechrau a therfyn dydd ar yr ynys ambell waith. Ond i mi, un a fagwyd yn y gorllewin, mae rhywbeth mawr o'i le ar drefn natur pan fydd yr haul yn machlud tu ôl i fynydd!

Golau Enlli

Cofiaf y tro cyntaf i mi ddringo'r llwybr serth i gopa Mynydd Enlli yn y tywyllwch i wylio'r wawr yn torri. Dywed cof cyfrifiadurol fy nghamera mai hanner awr wedi pedwar y bore oedd hi. Mae fy nghof innau yn cynnal atgofion na fedr delwedd na gair eu cyfleu yn llawn. Profiad cyfrin ac emosiynol oedd cerdded ar ben y mynydd yn y bore bach a gweld y tir mawr tu draw i'r swnt a'r ynys yn deffro fesul darn wrth i'r haul godi, tra bo'r gwlith dan fy nhraed yn sychu fesul diferyn. Gwelais fy nghysgod ar y garreg wen a elwir yn Garreg y Brenin am eiliad cyn iddo ddiflannu fel y codai pelydrau'r haul yn uwch yn yr awyr glir. Bydd ffotograffydd yn ceisio osgoi cael ei gysgod mewn llun ond y bore hwnnw ro'wn i am gofnodi'r eiliad honno o gyffyrddiad â hanes y lle. Islaw'r graig drawiadol sy'n ymddangos fel carreg ateb i Faen Melyn Llŷn ar y tir mawr, mae olion cytiau trigolion cynharaf yr ynys o'r cyfnod cynhanesyddol diweddar. Dyma *anima locus* yr ynys i mi. Mae ysbryd y lle i'w deimlo wrth gyffwrdd yr hen graig ac rwy'n siŵr fod iddi arwyddocâd arbennig i'r trigolion cynharaf hynny.

Golau'r haul i raddau helaeth sydd yn rhoi i'r ynys ei naws arbennig. Bydd y trigolion yn chwilio am arwyddion o'r tywydd yn y golau ar gyfer trefnu amserlen waith, ond i mi dyma hanfod fy nghyfrwng sy'n caniatáu i mi greu delweddau. Mae gwylio'r machlud yn aml yn troi'n ddefod ymhlith ymwelwyr a phrin fod neb yn gadael heb atgof neu lun arbennig ohono.

Goleu Enlli

Gwynt o'r de a'r glaw yn fân
Trwm yw gadael Goleu Enlli
Anodd iawn yw codi cân:
Trwm yw gadael Goleu Enlli
Pa sawl mis fydd hyd y daith?
Duw a'i gŵyr, mae'r môr yn faith.

Nos yn dechreu cuddio'r lan:
Trwm yw gadael Goleu Enlli
Goleu Enlli'n pefrio'n wan
Trwm yw gadael Goleu Enlli
Pa sawl mis fydd hyd y daith?
Duw a'i gŵyr, mae'r môr yn faith.

Adar môr ar hedfan hir
Trwm yw gadael Goleu Enlli
Can ffarwel i adar tir
Trwm yw gadael Goleu Enlli
Pa sawl mis fydd hyd y daith?
Duw a'i gŵyr, mae'r môr yn faith.

Glaw o hyd ac awyr blwm
Trwm yw gadael Goleu Enlli
Dec yn wlyb a'r hwyliau'n drwm
Trwm yw gadael Goleu Enlli
Pa sawl mis fydd hyd y daith?
Duw a'i gŵyr, mae'r môr yn faith.

                              J. Glyn Davies

Goleudy

Hydref 2014

Roedd hi'n ddiwrnod llwyd ym mhob ystyr y gair a rhyw hen naws pethe'n dod i ben yn y goleudy ym Mhen Diben. Wedi misoedd o weithgarwch a thrydar undonog yr hofrenyddion fu'n cario deunyddiau ac offer draw yma gan darfu ar dawelwch arferol yr ynys, roedd y gweithwyr bellach yn tynnu at derfyn eu tasg o symud yr hen lens o ben y tŵr. Bu'n taflu golau am fwy na chanrif ar draws Bae Ceredigion a draw i'r Iwerddon. Penderfynodd awdurdodau Tŷ'r Drindod fod angen diweddaru technoleg y lle i gwrdd ag anghenion yr unfed ganrif ar hugain, ac i geisio atal adar rhag cael eu swyno neu eu drysu gan y golau gwyn. Bellach byddai goleuadau LED coch wedi eu pweru gan yr haul yn cael eu gosod yn ei le.

Cofiaf ddringo i fyny'r 113 o risiau tu mewn i furiau'r tŵr ac edmygu ceinder y lens anferth gan ryfeddu bod un bwlb bychan deng modfedd yn ddigon i ddanfon fflachiadau am 26 milltir ar draws y môr. Arferwn eu gweld o ben Banc yr Esgair rhyw ddau led cae o fy nghartref ym Mlaenplwyf. Roedd urddas yn perthyn i symudiadau'r darnau o wydr yn sgleinio ac yn creu lliwiau'r enfys.

Mae'r lens bellach i'w weld ym Mhorth y Swnt yn Aberdaron, ac er mor drawiadol yw ei bresenoldeb yno yn uchafbwynt i'r arddangosfa, fe gollodd ei enaid pan rwygwyd ef i ffwrdd o'i gynefin ar ben y tŵr a phan ddiffoddwyd ei olau. Mae rhai sy'n hiraethu am y fflachiadau gwyn fu'n cadw calon yr ynys i guro drwy dywyllwch y nos.

Tynnodd yr hen lein ddillad yn chwifio yn y gwynt fy sylw, a gwneud i mi feddwl tybed a fu yna fenywod yn byw yma erioed, ynteu ai tiriogaeth y dynion fu'r goleudy drwy gydol ei hanes. Do, mae'n debyg y bu yma deulu unwaith yn byw ac yn gofalu am y lle.

1820/1
Adeiladwyd y goleudy, sy'n 30 medr o uchder, ar gost o £ 5,470 12s 6d, a thalwyd £2,950 16s 7d am y llusern.

1821
Goleuwyd y llusern am y tro cyntaf ar noswyl Nadolig.

1856
Gosodwyd y lantern ynddo (mae bellach ym Mhorth y Swnt yn Aberdaron).

1873
Gosodwyd mecanwaith i droi'r lantern.

1965
Golau trydan yn y goleudy am y tro cyntaf.

1987
Trowyd y cyfan yn awtomatig fel nad oedd rhaid cael gofalwyr llawn amser, a rheolwyd ef o Gaergybi.

1995
Trosglwyddwyd rheolaeth y goleudy i Harwich. Ernest a Colin Evans fu'n gweithio'n rhan amser yn gofalu am y goleudy a'i lanhau yn fwyaf diweddar.

2014
Diffoddwyd y golau gwyn (oedd â lamp 400 wat a chryfder o 89.900 candela) oedd yn ymestyn am bellter o 26 milltir forol.

2015
Gosodwyd lampau LED coch sy'n cael eu pweru gan ynni o'r haul.

Broc Môr

Bu casglu broc môr yn rhan o fywyd yr ynys erioed. Byddai cystadleuaeth ymysg yr ynyswyr pwy fyddai'n llwyddo i gael y dewis cyntaf o'r hyn oedd yn cael ei gario i'r lan. Roedd coed bob amser yn ddefnyddiol i adeiladu a thrwsio. Adeiladodd Wil Tŷ Pella ei gwch pysgota cyntaf o froc môr. Cafodd y tyddynwyr eu blas cyntaf o lemwn ac oren pan gariwyd cannoedd o'r ffrwythau yno yn dilyn llongddrylliad cwch o'r Azores yn 1882. Heddiw mae'r broc yn adlewyrchu ein hoes gyfoes ni.

Un prynhawn wrth gerdded ar draeth Solfach fe ddes i ar draws hen esgid, ac wedi craffu'n fanylach gwelais y geiriau 'Urban Jungles' wedi eu stampio arni. Chlywais i erioed am y brand felly dehongli'r geiriau yn unig wnes i, gan feddwl mor anghymarus oedd y cysyniad hwnnw i leoliad diwedd taith yr hen esgid. Gellid dweud mai tameidiau o froc môr ydym ni boblach, a bod rhyw gerrynt wedi ein tynnu i lannau'r hen ynys yma ar hyd yr oesau, gyda llawer heddiw yn ffarwelio am sbel â'r 'urban jungles' ar y tir mawr.

A ninnau bellach yn byw yn yr unfed ganrif ar hugain mae'n rhyfeddol bod cymuned, er mor fychan yw honno, yn dal i fyw ar yr ynys drwy gydol y flwyddyn. Atyniad yr ynys i mi'r ymwelydd yw ei bod hi'n cynnig gofod sy'n caniatáu i fy meddwl ymdawelu heb orthrwm y geriach digidol sy'n ceisio mynnu fy sylw ddydd a nos drwy gydol blwyddyn gron ar y tir mawr. Mae'n eironig felly fy mod i'n argyhoeddedig mai'r dechnoleg yma fydd yn caniatáu i'r ynys barhau i fod yn ynys hyfyw i'r dyfodol. Sefydlwyd Ymddiriedolaeth Ynys Enlli yn 1977 er mwyn prynu'r ynys i'w gwarchod. Yn y flwyddyn honno hefyd, yn yr Unol Daleithiau, fe lansiwyd yr Apple ii, sef eitem fasnachol gyntaf y cwmni Apple. Yn ddiweddarach, datblygwyd technoleg y we sydd wedi chwyldroi ein dulliau o gysylltu a chyfathrebu. Mae'r ynys fechan hon tu hwnt i'r Swnt y bu – ac y bydd – pobl yn encilio iddi bellach yn rhan o'r hyn a alwodd Marshall McLuhan yn 'bentref byd-eang'. Nid crair unig mohoni, ac fe fyddai'n drychineb iddi gael ei hystyried felly. Fe fu'r ynys yng nghanol priffordd y môr yn y gorffennol ac mae hi nawr ar briffordd y we.

Yn ystod f'ymweliadau fe welais gylchoedd bywyd yn troi drwy gyfrwng y lens. Bellach mae Steve Porter fel Icarws yn defnyddio egni'r gwynt i hedfan fel aderyn yn ei *microlight* uwchben y caeau hynafol sydd yn awr dan ei ofal. Un o brif ddiddordebau Steve drwy gydol y gaeaf hirlwm yw astudio a thynnu lluniau digidol o'r gofod a'r sêr – y sêr a fu'n gymorth i'r ymwelwyr cyntaf dramwyo'r moroedd Celtaidd a mapio'u byd. Mae'r caiacs lliwgar sy'n dilyn cerrynt y Lleisied wrth odre Mynydd Enlli yn adlais o'r modd cynharaf o deithio i'r ynys mewn cychod syml.

Mae'r defnydd o ynni'r gwynt a'r haul yn amlwg ar yr ynys heddiw, a phwy a ŵyr na ddaw cyfleoedd newydd i harneisio pŵer y cerrynt yn y Swnt yn y dyfodol. Mae Colin bob amser yn pwysleisio fod y pysgota wedi bod yn gynaliadwy ar hyd y blynyddoedd ac mae'r dulliau amaethu yn ogystal yn parchu'r amgylchedd. Eleni fe gafwyd caniatâd i ddychwelyd i'r hen arferiad o ddefnyddio gwymon fel gwrtaith naturiol. Yr her fydd cadw dwy ochr y glorian yn gyfartal rhwng cadwraeth ar y naill ochr ac anghenion bywyd cyfoes ar y llall. Ond yn bwysicaf oll mae angen sicrhau fod lleisiau ac asbri'r ieuenctid i'w glywed yma. Mae'r dyfodol yn eu dwylo nhw.

Wrth edrych yn ôl ar fap Hugh Hughes ar ddechrau'r gyfrol gwelaf yr ynys yn awr fel allwedd sy'n disgyn o law yr hen Fodryb Gwen. Ai dyma'r allwedd i ddyfodol Cymru? Yr Ynys Enlli gyfoes, fyw, nid ynys y rhith a'r rhamant – er bod y rheiny'n rhan annatod o'i hatyniad a'i hanes, a dylid eu parchu. Mae tirwedd Enlli yn feicrocosm o weddill ein gwlad, a'i bywyd gwâr yn cynnig patrwm i'w ddilyn. Ac mae yna haelioni mawr yn perthyn iddi heddiw fel yn yr oes a fu. Ein cyfrifoldeb ni yw sicrhau na chollwn yr allwedd werthfawr hon.

Manylion y lluniau

Detholwyd y lluniau i'r gyfrol hon o filoedd a dynnwyd rhwng 1999 a 2015. Mae'r rhan fwyaf o'r rhai a gyhoeddir yma yn perthyn i'r cyfnod diweddar o 2013 – 2015.

6 Modryb Gwen ('Dame Venedotia') gan Hugh Hughes, 1845.

14 Map Lewis Morris o leoliad yr ynys, 1748.

21 Llun John Thomas o un o gychod Enlli yn Aberdaron, 1886.

22/23 Mynwent Aberdaron.

25 Carwyn Williams yn dychwelyd o'r ynys, Ionawr 2014. Bu Robin, ei dad, yn trwsio toeon y tai wedi'r stormydd.

26 Llun gan Geoff Charles o'r cwch yn cyrraedd Ynys Enlli,1955.

30/31 Lleuddad, yr hen gwch pren a fu'n cario pobl i'r ynys yn segur ger y Cafn. Y storws ger y Cafn.

36/37/38 Ogof Las. Ogof Hir. Ogof y Gaseg.

41 Lleoliad yr abaty a'r capel ar ben draw'r lôn ym mhen gogleddol yr ynys.

42/43 Haul Ionawr yn goleuo adfeilion yr abaty.

44 Golau'r machlud ar groes yn y capel. Un o'r ddwy garreg sy'n dyddio o Oes y Saint, 7fed–9fed ganrif.

45 Llun gan John Thomas o'r abaty c. 1885.

48 Croes yn y machlud gyda mynyddoedd Wicklow, Iwerddon i'w gweld yn glir ar y gorwel.

49 Bedd yr Arglwydd Newborough.

52 Pererindod i Ynys Enlli 1950. Llun gan Geoff Charles.

53 Y Capel a diweddglo pererindod o Dreffynnon i Ynys Enlli. 2013.

54/55 Tŷ Betws a Carreg.

56/57 Ffynnon Dalar. Ffynnon Barfau.

58/59 Ffynnon Dolysgwydd. Ffynnon Corn.

60/61 Hen fwthyn Carreg Bach a'i drigolion. Rhedynog Goch (neu 'Dyno Goch' ar lafar) a Thŷ Pella. Lluniau John Thomas c. 1886.

64/65 Ceginau Hendy a Thŷ Capel

66 Carreg Bach yng nghesail y mynydd.

67 Gardd Tŷ Bach, cartref Emyr Roberts y warden o 2006 i 2013.

68/69 Emyr a chegin ei gartref, 2013.

70/71 Cegin Tŷ Nesa. Yr artist Rhodri Evans a fu'n warden o 2013 i 2015.

72/73 Rhedynog Goch (neu 'Dyno Goch' ar lafar).

79 Dafydd Egryn, fu'n cynorthwyo warden yr ynys, yn torri ei wallt yn yr ardd, 2013.

80. Carole Sherman, artist preswyl, sy'n cynnal gweithdai ar yr ynys drwy gydol misoedd yr haf.

82 Yr artist Brenda Chamberlain, 1950 (llun Geoff Charles) ac un o'r waliau yn ystod y gwaith adfer ar ei lluniau yn 2013.

83 Llun a dynnwyd yn 2007 o baentiad Brenda Chamberlain ar wal Carreg.

84 Connor Stansfield, mab Emma a Stephen, yr Wylfa Adar.

85 Llun Geoff Charles o'r ysgol, 1950.

86/87 Yr hen ysgol a'r machlud yn taflu cysgod Christine Evans yn ystod ei chyflwyniad yno, 2009.

102/103 Hafau poeth 2013 a 1962. Llun Geoff Charles.

105 Teulu'r Cwrt: Tair cenhedlaeth o deulu fferm y Cwrt. Meriel Roberts yn cynorthwyo Gwenllïan, ei merch, i wthio Ella'r fechan yn ei choets drwy'r caeau.

108/109 Diwrnod Cneifio. Gareth Roberts, Cwrt, yn ei het sy'n gyfrifol am yr amaethu ar yr ynys. Mae'n draddodiad gan y teulu a'u ffrindiau i ddod draw i'r ynys i gneifio bob haf. Bu Steve a Ben, Tŷ Pella, yn cynorthwyo yn 2013.

110/111 Jo Porter yn gwehyddu, 2013. Steve Porter gyda'r gwenyn, 2015.

112/113 Cario'r gwlân a'r defaid o'r ynys, 2014. Colin Evans y cychwr. Raymond yn ei gynorthwyo ar du blaen y cwch.

114/115 Carwyn Evans yn hel y defaid o'r cwch i fyny i gaeau fferm Cwrt.

116 Ernest Evans yn fachgen ifanc gyda chyfaill yn mynd i bysgota. Llun Geoff Charles, 1955.

118/119 Y tad a'i fab yn gweithio – Colin ac Ernest Evans yn pysgota ger yr ynys.

121 Ernest Evans, 2015.

123. Ben Porter yn mynd i hel ei gewyll gyda Celyn y ci yn y *Morlo Bach.*

126. Ben Porter yn rhoi cylch am goes aderyn yn yr wylfa adar.

127/128. Cofnodi yn yr Wylfa Adar.

130. Wy aderyn drycin Manaw uwchben Bae Nant.

131. Adar Drycin Manaw yn y machlud.

132. Gwirfoddolwr o'r Wylfa Adar yn rhyddhau Aderyn Drycin Manaw.

133. Cywion Adar Drycin Manaw yn cael eu pwyso a'u cofnodi.

134. Adarwyr yn heidio i'r ynys, 2015.

135. Clustog Fair.

136/137. Adar y glannau – y Pâl a Phiod y Môr.

138/139. Mulfrain. Morlo a'i chyw.

144/145. Yr olygfa o Fynydd Enlli ar doriad gwawr.

146. Cysgod y ffotograffydd ar Garreg y Brenin yn y bore bach.

148/149. Haul a chwmwl tua'r Gorllewin.

150/151. Golygfa o'r tir mawr o Fynydd Enlli ar hirddydd haf.

152. Yr olygfa tua'r goleudy ym Mhen Diben o'r mynydd.

158. Colin Evans yn aros yn y Cafn i gyfarch swyddogion Tŷ'r Drindod, 2013.

159. Gweithiwr yn dringo i ben y goleudy ar achlysur symud y llusern, 2014.

160. Patrymau cain yr hen lusern yn y goleudy, 2010.

161. Golau newydd y goleudy, 2015.

164. Bwrlwm ieuenctid: Llywelyn Lee a'i gyfeillion yn neidio i'r Cafn.

165. Caiacwyr islaw Mynydd Enlli yn dychwelyd i'r Tir Mawr.

166/167. Steve Porter, Tŷ Pella, yn hofran uwchben caeau'r ynys ac yn astudio ei luniau o'r ffurfafen.